ESCRITURA 3

Nuevo siglo de español

Santillana USA

Nuevo siglo de español, a Spanish Reading and Language Arts series for native Spanish-speakers

Escritura 3
ISBN 10: 1-58105-693-1
ISBN 13: 978-1-58105-693-8

Santillana USA Publishing Company, Inc.
2023 NW 84th Avenue
Miami, FL 33122

Published in the United States of America.
Printed by HCI Printing, Inc. in the USA.

13 12 11 10 6 7 8 9 10

CONTENIDO

Unidad 1 Soy así
Vocabulario 1
Gramática 2
Ortografía 4

Unidad 2 Mis amigos
Vocabulario 5
Gramática 6
Ortografía 8

Unidad 3 Mi comunidad
Vocabulario 9
Gramática 10
Ortografía 12

Unidad 4 Campos y ciudades
Vocabulario 13
Gramática 14
Ortografía 16

Unidad 5 Aprecio la naturaleza
Vocabulario 17
Gramática 18
Ortografía 20

Unidad 6 Mi familia
Vocabulario 21
Gramática 22
Ortografía 24

Unidad 7 Protejamos el ambiente
Vocabulario 25
Gramática 26
Ortografía 28

Unidad 8 Todos contamos
Vocabulario 29
Gramática 30
Ortografía 32

Unidad 9 Las plantas
Vocabulario 33
Gramática 34
Ortografía 36

Unidad 10 Me divierto
Vocabulario 37
Gramática 38
Ortografía 40

Unidad 11 ¿Cómo te sientes?
Vocabulario 41
Gramática 42
Ortografía 44

Unidad 12 Una persona especial
Vocabulario 45
Gramática 46
Ortografía 48

Vocabulario

Observa la ilustración y **marca** el recuadro de las palabras que mejor completen las oraciones.

1. Un pájaro vuela _____ las nubes.
   - ☐ a. bajo
   - ☐ b. encima de
   - ☐ c. en

2. Una mariposa reposa _____ la hierba.
   - ☐ a. debajo de
   - ☐ b. sobre
   - ☐ c. delante de

3. La hierba está _____ un cielo claro.
   - ☐ a. en
   - ☐ b. hacia
   - ☐ c. bajo

4. Un grillo se encuentra _____ unas piedras.
   - ☐ a. encima de
   - ☐ b. detrás de
   - ☐ c. cerca de

5. El grillo y las piedras están _____ el pajarito y el conejo.
   - ☐ a. en
   - ☐ b. hacia
   - ☐ c. entre

6. Las piedras están _____ la hierba.
   - ☐ a. sobre
   - ☐ b. delante de
   - ☐ c. debajo de

Gramática

A **Marca** el recuadro de las palabras que forman una frase.

- ☐ 1. el segundo grado
- ☐ 2. película
- ☐ 3. mi color preferido
- ☐ 4. ¿Dónde celebrarás tu cumpleaños?
- ☐ 5. una caja de chocolates
- ☐ 6. aquel vestido amarillo
- ☐ 7. Yo te dije la verdad.
- ☐ 8. violeta
- ☐ 9. esta noche

B **Marca** el recuadro de las palabras que forman una oración.

- ☐ 1. Voy a buscar a mi hermano.
- ☐ 2. un poco de agua
- ☐ 3. aire
- ☐ 4. Mi abuelo tiene una finca.
- ☐ 5. Me gustan mucho las frutas.
- ☐ 6. Quiero acompañarte.
- ☐ 7. el sábado que viene
- ☐ 8. nosotras
- ☐ 9. Tengo sed.

C **Clasifica** en palabras (**P**), frases (**F**) u oraciones (**O**).

- ☐ 1. fiesta
- ☐ 2. una rica comida
- ☐ 3. Norma vive al lado del parque.
- ☐ 4. música
- ☐ 5. Raúl y Nora
- ☐ 6. pintura
- ☐ 7. lapicero
- ☐ 8. bastante bien
- ☐ 9. Voy mañana temprano.

D **Ordena** estas palabras y forma oraciones.

1. un • tenía • pajarito • problema • el

2. quién • no • era • sabía

3. animales • todas • de • habló • Cacocún • los • con

4. rodar • a • hueco • por • oscuro • comenzó • un

5. alas • empezó • sus • volar • y • abrió • a

E **Completa** las siguientes oraciones.

1. Mi mascota ______________________

2. En esta clase ______________________

3. Mi cumpleaños ______________________

Ortografía

Contesta con oraciones completas.

1. ¿Qué celebran los niños? ¿Cómo es la fiesta?

2. ¿Quién es el personaje más destacado en la escena? ¿Cómo es?

3. ¿Qué harías si estuvieras en la fiesta?

Vocabulario

A **Lee** las frases. **Numera** las acciones para indicar el orden de lo que haces para darle a alguien un regalo.

- ☐ darle el regalo a la persona
- ☐ pensar en lo que quiere la persona
- ☐ comprar el regalo
- ☐ envolver el regalo en papel bonito
- ☐ decidir adónde ir a comprar el regalo

B **Escribe** en oraciones completas los pasos anteriores.

1. Primero, pienso en ______________________________

____

2. Segundo, ______________________________

____

3. ______________________________

____

4. ______________________________

____

5. Por último, ______________________________

____

Gramática

A **Lee** la historieta.

Era un invierno muy frío. El agua estaba helada. Los padres de los pececillos no sabían qué hacer.
¡BRRR...! ¡Qué frío! ¿Qué podemos hacer? Nuestros hijos están muertos de frío.
Al día siguiente, llamaron a un amigo, que era un pez sierra.
Por favor, ¿podrías cortarnos estas tablas?
Pero... ¿qué van a hacer?
Después llamaron a un pez espada.
Por favor, ¿nos podrías hacer unos agujeros en las tablas?
¡Claro que sí!
Los pececillos se refugiaron en la cabaña hecha con las tablas. Sus padres llamaron a un pez manta para que los arropara.
¡Qué bien, ya no tendremos frío!

B Ahora **escribe** tres oraciones interrogativas y tres exclamativas de la historieta.

Oraciones interrogativas

1. ____

____

2. ____

____

3. ____

____

Oraciones exclamativas

1. ____

____

2. ____

____

3. ____

____

Ortografía

A **Escribe** los signos de interrogación (**¿?**) o de exclamación (**¡!**) donde hagan falta.

1. Qué producen los rayos del Sol

2. Por qué el árbol pierde sus hojas

3. Qué lluvia más fuerte

4. Qué tormenta

B **Escribe** los signos de puntuación adecuados para la siguiente conversación: signos de interrogación (**¿?**), signos de exclamación (**¡!**) y punto final (**.**)

Pedro: Ay, qué miedo tengo
Ernesto: No temas; pronto pasará
Pedro: Saldremos bien de esto
Ernesto: Seguro que sí
Pedro: Crees que mamá estará preocupada
Ernesto: Sí

3 MI COMUNIDAD

Vocabulario

Escribe las palabras del recuadro en la familia que les corresponde.

cafetera	enterrar	juguetería	librero
nubloso	portero	bañista	

nube nublado ▶ 1. ____________________

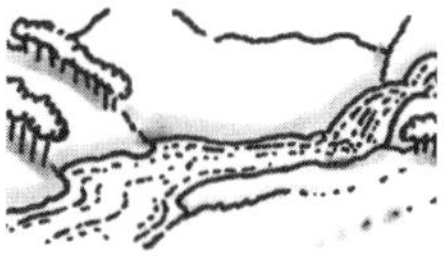

tierra terreno ▶ 2. ____________________

baño bañera ▶ 3. ____________________

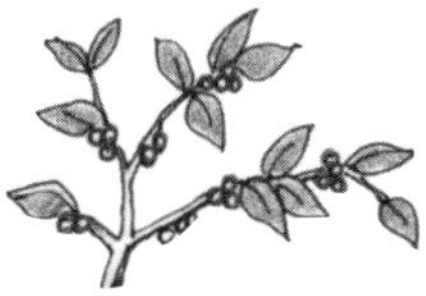

café cafetal ▶ 4. ____________________

juego jugadora ▶ 5. ____________________

puerta portón ▶ 6. ____________________

libro libreta ▶ 7. ____________________

Gramática

A **Escribe** las oraciones enunciativas de la escena.

1. ____

____

2. ____

____

3. ____

____

B **Marca** las oraciones exhortativas.

- [ ] 1. Luis, siéntate derecho.
- [ ] 2. ¿Puedo ir al baño?
- [ ] 3. Por favor, Lisa, dame mi libro.
- [ ] 4. Me gusta la nueva maestra.
- [ ] 5. Levanten la mano para contestar.

C **Escribe** dos oraciones exhortativas para pedir favores y otras dos para dar órdenes.

1. ______________________________

2. ______________________________

3. ______________________________

4. ______________________________

Ortografía

■ **Escribe** los nombres de los objetos que necesitan estos trabajadores para hacer su trabajo. **Coloca** las comas necesarias.

1. El bombero necesita ______________________

____

2. La enfermera necesita ______________________

____

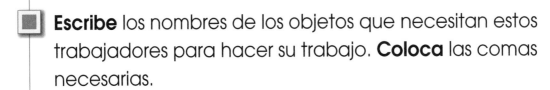

3. El mecánico de autos necesita ______________________

____

Vocabulario

A **Marca** las palabras compuestas.

- [ ] 1. pisapapeles
- [ ] 2. secadora
- [ ] 3. océano
- [ ] 4. cortaúñas
- [ ] 5. correcaminos
- [ ] 6. artista
- [ ] 7. cumpleaños
- [ ] 8. guardarropa

B **Une** las palabras para formar las palabras compuestas. **Escríbelas.**

cuenta → gotas / millas

1. ______________________
2. ______________________

guarda → bosques / espaldas

3. ______________________
4. ______________________

lava → manos / platos

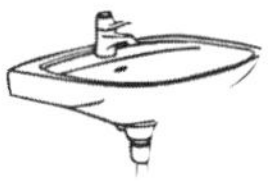

5. ______________________
6. ______________________

limpia → botas / parabrisas

7. ______________________
8. ______________________

Gramática

A **Completa** los espacios en blanco con **el**, **la**, **los** o **las**. Recuerda que las oraciones siempre empiezan con letra mayúscula.

1. _____ ratón de _____ ciudad llegó de visita.
2. _____ dos ratones eran primos.
3. _____ sombrero de un ratón era de paja.
4. _____ ratonera de este primo era muy humilde.
5. _____ comidas sencillas son más sanas.
6. _____ lugar donde vive _____ ratón de _____ ciudad se veía de lejos.

B **Completa** los espacios en blanco con **un, una, unos** o **unas**. Recuerda que las oraciones siempre empiezan con letra mayúscula.

1. ______ ratón tenía ______ casa humilde.
2. Los ratones comieron ______ rica comida y de postre ______ manzana.
3. La manzana era de ______ color rojo hermoso.
4. ______ vecinos trajeron ______ frutas deliciosas.
5. ¡Pero no podían comer ni ______ grano más!
6. Guardaron lo que quedaba en ______ hueco.

C **Completa** usando las palabras que corresponden. Recuerda que las oraciones siempre empiezan con letra mayúscula.

del | de la | al | a la

1. ______ ratón de la ciudad no le gustaba la comida sencilla.
2. Así que se fueron los primos hacia la casa ______ ratón ______ ciudad.
3. Cuando se asomaron ______ comedor, vieron ______ señora ______ casa con una enorme escoba.
4. Por poco no llegaron ______ escondrijo en la pared.
5. El ratón ______ campo se despidió ______ ratón de la ciudad.
6. Volvió ______ campo, donde podía vivir libre y feliz.

D **Encierra** en un círculo todos los artículos y todas las contracciones que encuentres en esta historia.

El ratón de la ciudad fue a visitar a una ratona prima suya que vivía en el Polo Norte. La prima tenía una casa hecha de bloques de hielo. Una noche hacía un frío espantoso. Así que los dos ratones echaron unos palos de madera al fuego. ¡Pero las paredes de la casa empezaron a derretirse! La ratona del Polo Norte echó un cubo de agua fría sobre la casa. Al ratón de la ciudad le parecía que la vida en una zona tan frígida no le iba a gustar. Y volvió a la ciudad.

Ortografía

Lee el poema.

¡Qué risa!

Había un burrito adolorido,
había un perrito rabón,
había un zorrito azorado
y había un curioso ratón.
El burrito adolorido rebuznó
para hacer ruido, el perrito rabón
pegó su colita con jabón,
el zorrito azorado se fue
a la sierra con su hermano
y el ratón curioso
comió quesito asado.

Busca en **¡Qué risa!** palabras que tienen **r** al principio y **r** o **rr** entre vocales. **Clasifícalas** en la tabla.

Palabras que comienzan con **r**	Palabras con **r** entre vocales	Palabras con **rr** entre vocales

Vocabulario

A **Observa** cada ilustración y **marca** el recuadro de la oración que la describe.

- ☐ a. Me tomaría un refresco de cola.
- ☐ b. Mi abuelo pegó la silla con una cola bien fuerte.
- ☐ c. ¡Mira, no tiene cola!

- ☐ d. Debemos cuidar bien esta planta.
- ☐ e. Me duele la planta del pie derecho.
- ☐ f. Se fue la luz debido a problemas en la planta.

- ☐ g. He partido el pastel.
- ☐ h. Vamos a ganar el partido.
- ☐ i. El presidente es del partido Republicano.

B **Marca** el significado de cada palabra destacada.

1. Ve a la **tienda** y compra una botella de agua.
   - ☐ a. del verbo tender
   - ☐ b. lugar donde se vende mercancía

2. Seca bien los **platos**, por favor.
   - ☐ a. comidas
   - ☐ b. recipientes

Gramática

A **Busca** en el árbol los adjetivos que mejor completen las oraciones.

Es un día de campo

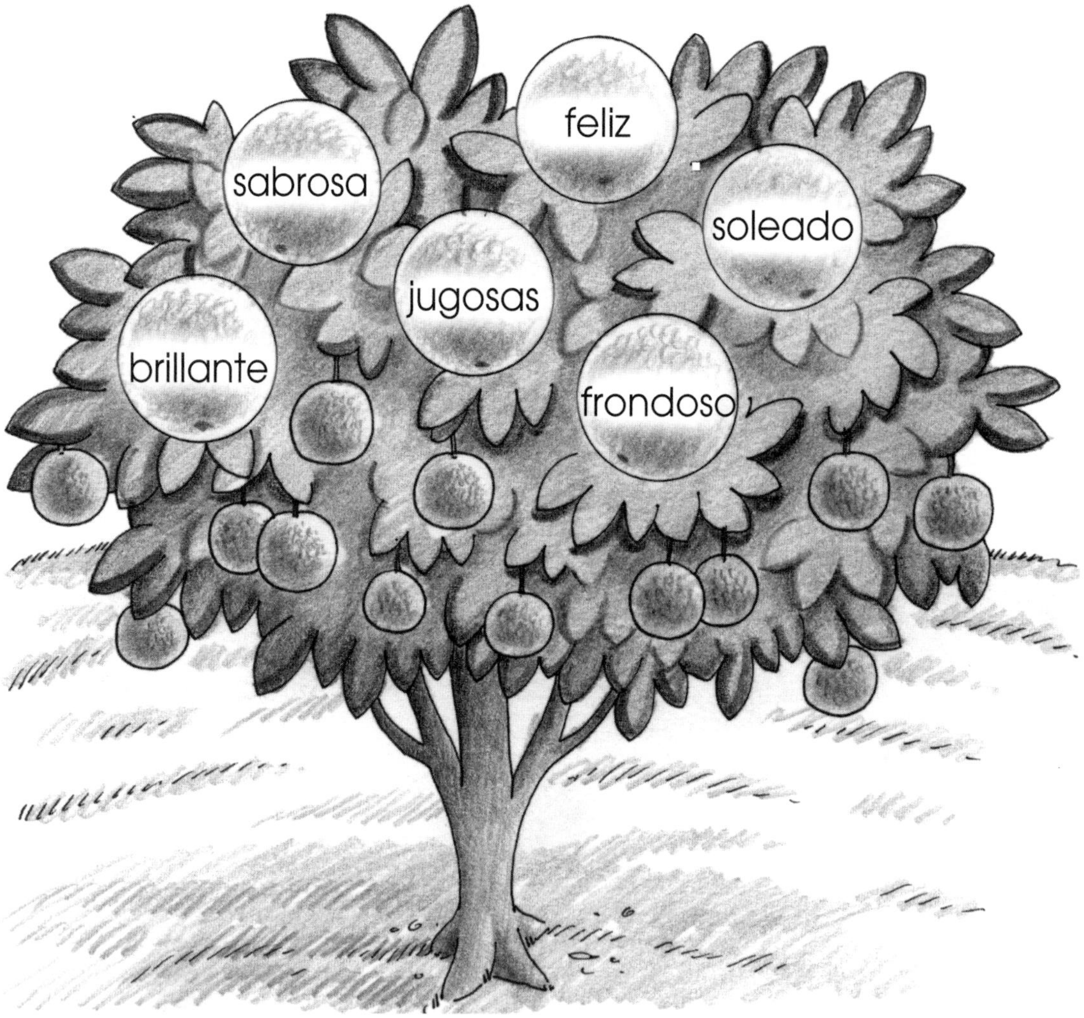

Completa:

1. El día está ______________________________.
2. Este árbol es muy __________________________.
3. ¡Qué ________________________ está la naranja!
4. El Sol se ve ______________________________.
5. ¡Qué ______________________________ me siento!
6. Me gustan las frutas ______________________.

B **Escoge** el adjetivo apropiado para completar cada oración.

ágiles amarillas delicioso duras fácil
gracioso jugosa lentos peligrosas

1. En el circo vimos un payaso ________________.
2. Mi mamá prepara un guacamole ________________.
3. Las plumas de los canarios generalmente son ________________.
4. Los caracoles son animales muy ________________.
5. Las piedras siempre son ________________.
6. Algunas arañas son ________________.
7. Los monos son animales ________________.
8. La piña madura es ________________.
9. Este ejercicio es ________________.

C **Marca** el recuadro de las palabras que son adjetivos.

☐ 1. suave	☐ 5. redondas	☐ 9. azul
☐ 2. lago	☐ 6. tímido	☐ 10. pared
☐ 3. mano	☐ 7. bonito	☐ 11. alta
☐ 4. caliente	☐ 8. canasta	☐ 12. armario

Ortografía

A **Completa** las frases con los adjetivos del recuadro.

amorosa	caluroso	frondoso
sonriente	zumbadoras	fuerte

1. un hombre ____________

4. ese niño ____________

2. un día ____________

5. esa niña ____________

3. las abejas ____________

6. un árbol ____________

B **Escribe** los adjetivos que se forman de cada sustantivo.

1. jugo jugoso
   jugosa
2. olor ____________
   ____
3. furia ____________
   ____
4. espanto ____________
   ____
5. horror ____________
   ____
6. mentira ____________
   ____

6 MI FAMILIA

Vocabulario

Estudia estos homónimos:

río

río

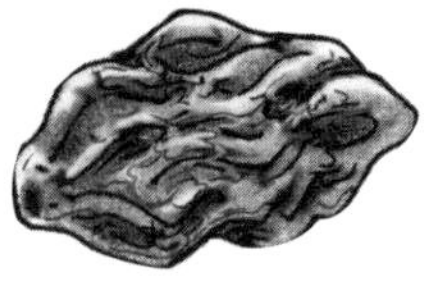
pasa

pasa

toca

toca

Marca el significado de cada palabra destacada.

1. Me gusta pescar en el **río**.
   - ☐ a. del verbo reír
   - ☐ b. cuerpo de agua

2. El autobús escolar **pasa** por su casa todos los días.
   - ☐ a. uva seca
   - ☐ b. del verbo pasar

3. Pedro **toca** la flauta armoniosamente.
   - ☐ a. hace sonar un instrumento musical
   - ☐ b. pasa la mano por un objeto

Gramática

A **Pinta** de verde los óvalos con palabras en singular, y de amarillo, los óvalos con palabras en plural.

vasijas	sábanas	flor
huracán	mayores	colores
mensajeros	salones	mantel
tronco	lagarto	títulos
túneles	jugos	amistad

B **Escribe** el plural de las siguientes palabras:

1. alemán ______________________
2. limón ______________________
3. dolor ______________________
4. pozo ______________________
5. cartel ______________________
6. visión ______________________
7. acción ______________________
8. alfiler ______________________
9. nariz ______________________
10. página ______________________

C **Escribe** el singular de las siguientes palabras:

1. abuelos ______________________
2. árboles ______________________
3. amistades ______________________
4. cafés ______________________
5. botas ______________________
6. colores ______________________
7. azules ______________________
8. doctores ______________________
9. pinceles ______________________
10. peces ______________________

D **Lee** el texto. Luego, **enumera** cinco palabras que están en singular y cinco que están en plural.

Los hipocampos son los conocidos caballitos de mar. En esta especie es el macho el que "trae" los hijos al mundo. La hembra deposita sus huevos en una especie de bolsa que luego cuida el macho. También es él quien alimenta a los recién nacidos.

Palabras en singular	Palabras en plural
1. ____________________	1. ____________________
2. ____________________	2. ____________________
3. ____________________	3. ____________________
4. ____________________	4. ____________________
5. ____________________	5. ____________________

Ortografía

Busca en la sopa de letras palabras que tengan **ce**, **ci** y **se**, **si**. Luego, **clasifícalas** en la tabla.

c	í	r	c	u	l	o	c	e	s	t	a	d	o	s	c
b	s	c	e	b	r	a	t	s	e	g	u	n	d	o	s
s	e	c	o	l	c	i	n	t	a	s	i	s	m	o	s
e	d	o	c	e	c	e	n	t	í	m	e	t	r	o	i
i	b	i	c	i	c	l	e	t	a	c	s	i	s	c	g
s	s	e	r	r	u	c	h	o	c	s	e	l	v	a	l
m	c	e	n	i	z	a	h	i	c	e	c	i	e	l	o

ce, ci	se, si

Vocabulario

A **Completa** el crucigrama con sinónimos.

1. lleno
2. frío
3. caminar
4. gastado
5. hablar
6. cómica

B **Marca** el recuadro de la palabra que significa lo mismo que la palabra destacada.

1. Las telarañas son muy **frágiles.**
   - ☐ a. bonitas ☐ b. diferentes ☐ c. débiles

2. El **buque** salió del puerto por la noche.
   - ☐ a. avión ☐ b. barco ☐ c. tren

3. Las hormigas son muy **pequeñas.**
   - ☐ a. chiquitas ☐ b. trabajadoras ☐ c. generosas

Gramática

A **Completa** cada oración con un verbo adecuado.

Tiempo ▶ presente

1. Rafael ___corre___ todas las mañanas.

2. Teresa ______________ temprano.

Tiempo ▶ pasado

3. Yo ______________ un helado.

4. Ella ______________ un premio.

Tiempo ▶ futuro

5. La muchacha ______________ el autobús.

6. Enrique ______________ a otro país.

B **Llena** los espacios con el verbo adecuado.

hicieron | hice | hicimos | hiciste | hizo

1. René ______________ un herbario bonito.
2. Tú ______________ una gran carrera.
3. Yo ______________ un dibujo.
4. Marcos y Rita ______________ un cartelón enorme.
5. Nosotros ______________ nuestro trabajo.

C **Une** con líneas el sujeto y el predicado.

1. El sapo  a. van de flor en flor.

2. La niña  b. son buenos amigos.

3. Las mariposas  c. son buenas mascotas.

4. Los perros y los gatos  d. recoge las flores.

5. José y Marina  e. brincó al charco.

■ **Escribe** las oraciones que formaste.

1. ______________________________
2. ______________________________
3. ______________________________
4. ______________________________
5. ______________________________

D **Escribe** un predicado para cada sujeto.

1. La música ______________________________
2. Mi escuela ______________________________
3. Mi reloj nuevo ______________________________
4. Mi casa ______________________________

E **Escribe** un sujeto para cada predicado.

1. ______________________ mueve las hojas suavemente.
2. ______________________ me llamó por teléfono.
3. ______________________ anotó veinte puntos.
4. ______________________ llevó su conejo al veterinario.

Ortografía

A **Ordena** los bloques y **forma** palabras con **mp** y **mb**.

com 1	mi 3	so 4	pro 2	compromiso
ba	tum			
am	te	bien		
ña	pa	cam		
sím	lo	bo		
pra	tem	no		

B **Completa** las oraciones con palabras con **mb** y **mp**.

1. Cuando vamos al supermercado, hacemos la

_______________________________________.

2. La parte de arriba del brazo se llama

_______________________________________.

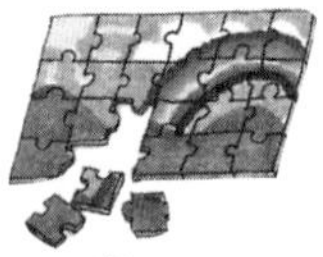

3. Un juego de montar piezas hasta formar una figura se llama

_______________________________________.

4. Una niña que es tu amiga y te acompaña es tu

_______________________________________.

8 TODOS CONTAMOS

Vocabulario

A **Completa** cada oración. **Forma** el diminutivo con **-ita** o **-ito**.

1. Un nido pequeño es un ______________________.
2. Una capa pequeña es una ______________________.
3. Un globo pequeño es un ______________________.
4. Una carta pequeña es una ______________________.
5. Un oso pequeño es un ______________________.

B **Observa** y **compara** el tamaño de los objetos. **Escribe** la palabra que mejor los describe.

 zapato

 zapatito

 ______________________

 ______________________

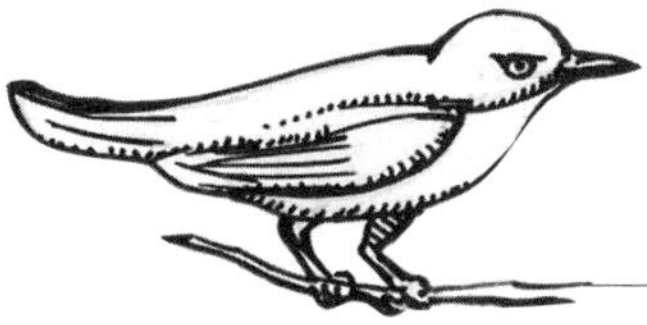 ______________________

 ______________________

 ______________________

 ______________________

 ______________________

 ______________________

 ______________________

 ______________________

Gramática

A **Lee** las siguientes palabras. **Divídelas** en sílabas y **encierra** en un círculo la sílaba tónica. **Sigue** el ejemplo.

1. cochecito co - che - (ci) - to
2. palma ______________________
3. cuadrado ______________________
4. manzana ______________________
5. arboleda ______________________
6. triángulo ______________________
7. rincón ______________________
8. médico ______________________
9. turrón ______________________
10. artistas ______________________

B **Lee** las siguientes palabras. **Divídelas** en sílabas. **Marca** la sílaba tónica con una ✘ y encierra las sílabas átonas con un ◯.

1. mariposa (ma) (ri) ~~po~~ (sa) 
2. tortuga 
3. corazón 
4. estrellitas 
5. máquina 
6. ciudad 
7. margarita 
8. florero 

C **Identifica** las palabras que están mal divididas. **Corrígelas**.

Bien	Mal		Corregida
		1. a – bue – la	
		2. es – ta – tu – a	
		3. pu – e – blo	
		4. pri – ma – ria	
		5. qu – i – tar	
		6. ta – maño	
		7. do – ce – na	
		8. ma – le – tín	
		9. quer – rer	
		10. est – i – mar	

D **Indica** si la sílaba destacada en cada palabra es tónica (**T**) o átona (**A**).

_______ 1. **ú**nica

_______ 2. imagina**ción**

_______ 3. **con**cierto

_______ 4. **gru**ñe

_______ 5. incre**í**ble

_______ 6. **Fe**derico

_______ 7. **duen**de

_______ 8. **tran**quilo

Ortografía

Lee el texto. Luego **clasifica** en la tabla las palabras destacadas.

Don **Guillermo** tiene dos pasatiempos: leer y tocar la **guitarra**. Hoy está leyendo acerca de las aves. Leyó que el **águila** es un ave que abunda en Estados Unidos y que los **pingüinos** viven en lugares helados. También leyó sobre las **cigüeñas**. Pronto, don Guillermo visitará el zoológico **Payagüez** para conocer más acerca de las aves.

gue, gui	güe, güi

Vocabulario

A **Escribe** el aumentativo con -**ote** y -**ota** de las siguientes palabras.

1. regla	1. reglota
2. bulto	2. ______
3. lápiz	3. ______
4. mesa	4. ______
5. ojo	5. ______
6. pera	6. ______

B **Escribe** el aumentativo con -**ote** u -**ota** de las cosas y animales numerados.

1. arbolote
2. ______
3. ______
4. ______
5. ______
6. ______

Gramática

A **Marca** el recuadro de las palabras con diptongo.

- ☐ 1. piano
- ☐ 2. nube
- ☐ 3. cráneo
- ☐ 4. vía
- ☐ 5. indio
- ☐ 6. final
- ☐ 7. Manuel
- ☐ 8. baile

B **Marca** el recuadro de las palabras con hiato.

- ☐ 1. Raúl
- ☐ 2. tierra
- ☐ 3. lío
- ☐ 4. teatro
- ☐ 5. copia
- ☐ 6. poeta
- ☐ 7. coopera
- ☐ 8. duerme

C **Encierra** en un círculo los diptongos y **subraya** los hiatos.

1. r o e d o r

2. f i e s t a

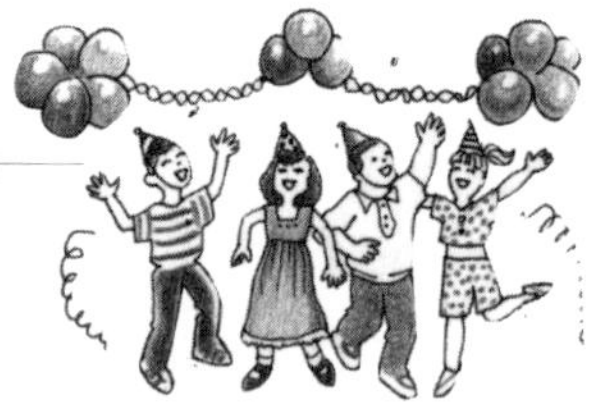

3. h u e v o s

4. p i e d r a

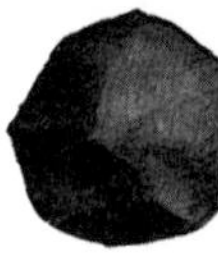

5. p u e r t o

6. t r i á n g u l o

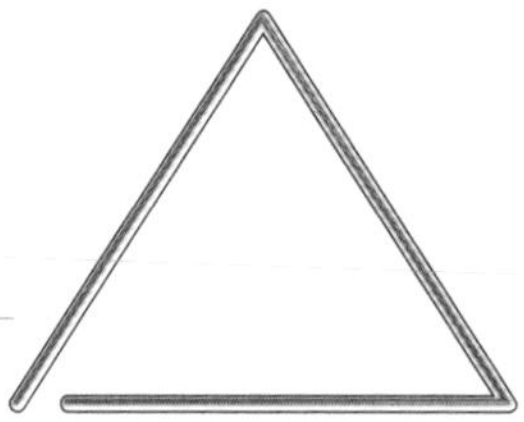

D **Mira** la escena. **Completa** las palabras con diptongos.

1. escuela
2. j____gan
3. f____nte
4. c____ga
5. r____señor
6. pat____

ui · ue · ie · ia · ua · io

7. div____rten
8. r____da
9. c____nto
10. p____rta
11. ag____
12. L____s

E **Completa** las palabras con los hiatos de abajo.

1. ríen
2. m____stros
3. recr____
4. l____n
5. v____
6. divert____n

Ortografía

A **Sigue** el camino que llevó a Silvia al parque. ¿Qué encontró la niña en el camino? **Escribe** los nombres abajo.

1. ______________________ 4. ______________________

2. ______________________ 5. ______________________

3. ______________________ 6. ______________________

B **Pinta** los diptongos y los hiatos en los nombres que escribiste.

Vocabulario

A **Separa** los prefijos de las palabras, según el ejemplo.

1. desorganizar — des — organizar
2. rehacer
3. incómodo
4. antenoche
5. desenredar
6. predecir
7. comadre
8. submarino

B **Lee** las siguientes palabras y **observa** los sufijos destacados. **Escribe** la palabra de la que viene cada una.

1. pelot**ero** pelota
2. cafet**era** ____________
3. misteri**oso** ____________
4. plant**ita** ____________
5. hermos**ura** ____________
6. timid**ez** ____________

¡**Amiguito** viene de **amigo**!

Gramática

A **Divide** las palabras en sílabas. **Pinta** la sílaba tónica.

1. melocotón
2. acabé
3. volvió
4. arroz
5. aviones
6. disfrutar
7. allí
8. sabor
9. galleta
10. ayudó
11. inquieto
12. pintora

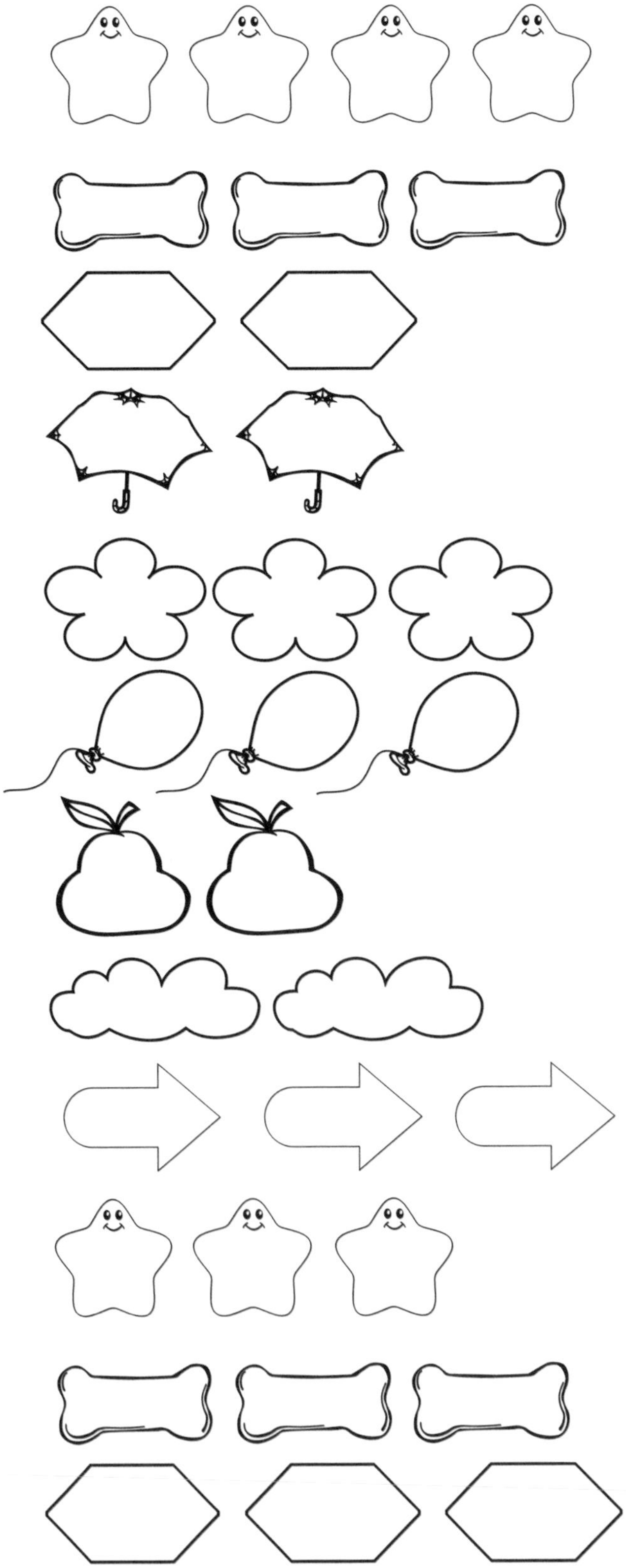

B **Marca** el recuadro de las palabras que son agudas.

- [ ] 1. cobrar
- [ ] 2. tierra
- [ ] 3. cielo
- [ ] 4. andén
- [ ] 5. plátano
- [ ] 6. admiración
- [ ] 7. dorado
- [ ] 8. pijama
- [ ] 9. verdor
- [ ] 10. marrón

C **Marca** las series que solo tienen palabras agudas.

- [ ] 1. piso, valor, triunfo
- [ ] 2. señor, refrán, ratón
- [ ] 3. valor, balón, dirás
- [ ] 4. volví, carril, bombón
- [ ] 5. suerte, correa, buzón
- [ ] 6. temblar, tostar, tostón

D **Coloca** las tildes necesarias.

1. decidio
2. confusion
3. Rene
4. forrar
5. dormilon
6. sofa
7. demas
8. real
9. talon

E **Escribe** palabras agudas:

que terminen en -**on**	que terminen en -**ar**
1. ____________	4. ____________
2. ____________	5. ____________
3. ____________	6. ____________

Ortografía

A **Divide** en sílabas las palabras. **Encierra** en un círculo la sílaba tónica. **Coloca** las tildes necesarias.

1. tapon ta - pón
2. cafetal ______________________
3. tropezo ______________________
4. volveras ______________________
5. reloj ______________________
6. menor ______________________
7. oracion ______________________
8. real ______________________

B **Lee** el poema. **Coloca** las tildes necesarias en las palabras agudas destacadas.

Sopla el viento

Sopla, sopla el viento norte.
Esta noche va a **nevar**.
¿Qué va a hacer el jilguero?
El jilguerito, ¿qué hará?
Se sentará en el granero
y **alli** se calentará.

En el manto de las alas
su cabeza **escondera**.
¡Pobrecito jilguerito!
¡Vuela, que te vas a **helar**!

Anónimo

Vocabulario

A **Completa** el crucigrama con antónimos.

1. bonita
2. intranquilo
3. bajar
4. fuerte
5. valor
6. alumbrado

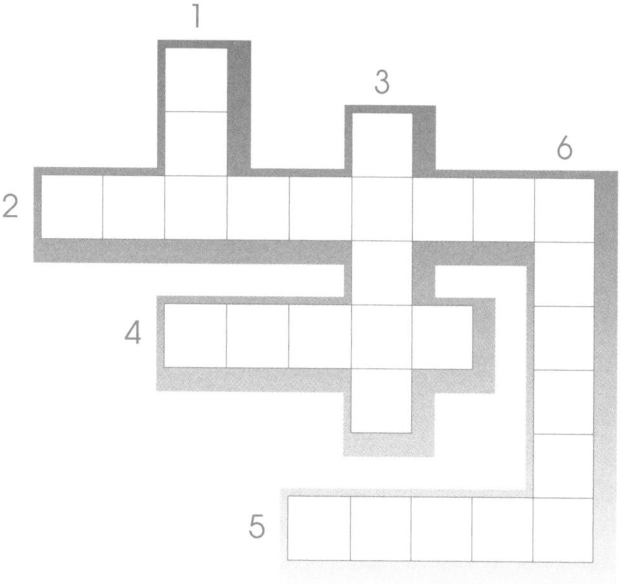

B **Une** con líneas las ilustraciones y los antónimos. **Escribe** las palabras.

1. 
manso

2. 
día

3. 
abiertas

4. 
despierto

a. 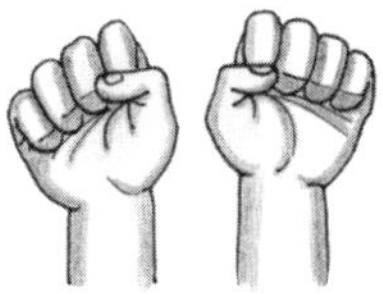
cerradas

b. 

c. 

d. 

Gramática

A **Divide** las palabras en sílabas. **Encierra** en un círculo la sílaba tónica y **píntala**.

1. sonrisas ______________________
2. regalo ______________________
3. tesoro ______________________
4. mariposita ______________________
5. ángel ______________________
6. enredadera ______________________
7. fácil ______________________
8. vacaciones ______________________
9. soltura ______________________
10. ágil ______________________
11. dinero ______________________
12. cuaderno ______________________
13. dólar ______________________
14. paredes ______________________

B **Ordena** las sílabas y **forma** palabras llanas.

1. ño en sue → ______________________
2. cre to se → ______________________
3. re do ci flo → ______________________
4. mas lo pa → ______________________
5. dul ra zu → ______________________
6. ra ca te rre → ______________________

C **Marca** el recuadro de las palabras que son llanas.

- ☐ 1. altura
- ☐ 2. brillante
- ☐ 3. rápido
- ☐ 4. azul
- ☐ 5. instante
- ☐ 6. facilidad
- ☐ 7. marciano
- ☐ 8. sombrero

D **Marca** las series que sólo tienen palabras llanas.

- ☐ 1. terraza, cuento, mapa
- ☐ 2. atención, túnica, auto
- ☐ 3. cáncer, útil, álbum
- ☐ 4. materia, dócil, ángel
- ☐ 5. puerta, teatro, móvil
- ☐ 6. rezar, marcar, tambor
- ☐ 7. tengo, eres, túnel
- ☐ 8. gente, allí, doctor

E **Coloca** las tildes necesarias.

1. movil
2. automovil
3. palabra
4. album
5. cuento
6. cansarse
7. llana
8. resumen
9. cesped
10. debil
11. secreto
12. azules

Ortografía

A **Coloca** las tildes necesarias a estas palabras llanas:

1. hamaca
2. fragil
3. nectar
4. reyes
5. agil
6. Hector
7. fosil
8. teatro
9. habil
10. febril

B **Escribe** la sílaba que falta en estas palabras llanas. **Coloca** las tildes necesarias.

1. agua______ro
2. es______tua

3. es______ba

4. a______car

5. computa______ra

6. ______bum

7. ______lar

8. dormi______rio

9. ______piz

10. ______bre

Vocabulario

A **Marca** el recuadro de las palabras con el mismo significado que las destacadas.

1. La niña tiene el pelo **crespo**.
   - [ ] a. claro
   - [ ] b. trigueño
   - [ ] c. rizado

2. El **niño** estudia mucho.
   - [ ] a. niña
   - [ ] b. hombre
   - [ ] c. chico

3. ¿Para qué es la **cesta**?
   - [ ] a. bote
   - [ ] b. canasta
   - [ ] c. cántaro

B ¿Cómo lo llamas tú? **Escribe** los nombres.

1. ____________________ 2. ____________________

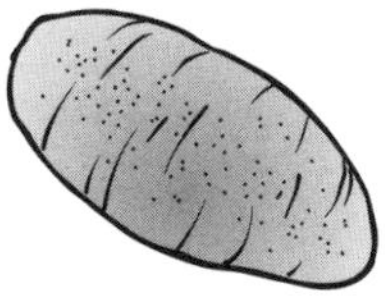

3. ____________________ 4. ____________________

Gramática

A **Divide** estas palabras en sílabas. **Pinta** la sílaba tónica.

1. só - li - do

5. ______________________

2. ______________________

6. ______________________

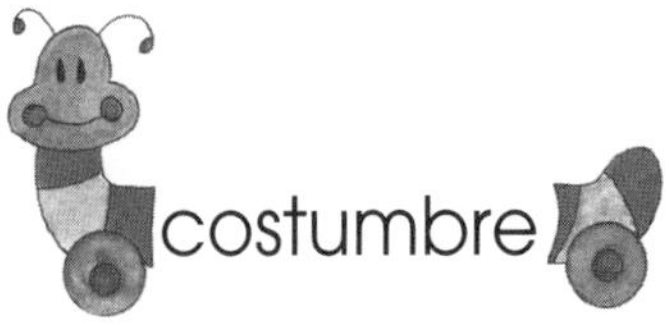

3. ______________________

7. ______________________

4. ______________________

8. ______________________

9. ______________________

- **Clasifica** las palabras anteriores de acuerdo con la sílaba tónica.

Antepenúltima sílaba	Penúltima sílaba	Última sílaba

B **Lee** las siguientes oraciones. **Subraya** las palabras esdrújulas.

1. Cristóbal Colón llegó a América en 1492.

2. Con su varita mágica, el hada convirtió la rana en un príncipe.

3. Cada vez que Aladino frotaba la lámpara mágica, aparecía el genio y le concedía un deseo.

4. Mónica leyó la noticia en el periódico.

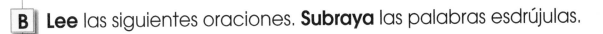

5. El navegante pudo regresar a su destino utilizando una brújula.

C **Escribe** la palabra esdrújula para cada definición.

Cinta que se ve en el cine.	1. ____________________
Persona que repara automóviles.	2. ____________________

Ortografía

A **Forma** palabras esdrújulas con las sílabas del dibujo. **Coloca** las tildes.

1. ________mero
2. mu________simo
3. vol________nico
4. ________piter
5. al________sima
6. ________tamo
7. ________grima
8. ________nico
9. ________timo
10. ________lido

B **Escribe** la sílaba que completa estas palabras esdrújulas. **Coloca** las tildes.

1. ________jaro
2. zoo________gico
3. te________fono
4. ________tano
5. ________quina
6. ________talo
7. di________mico
8. ________gano

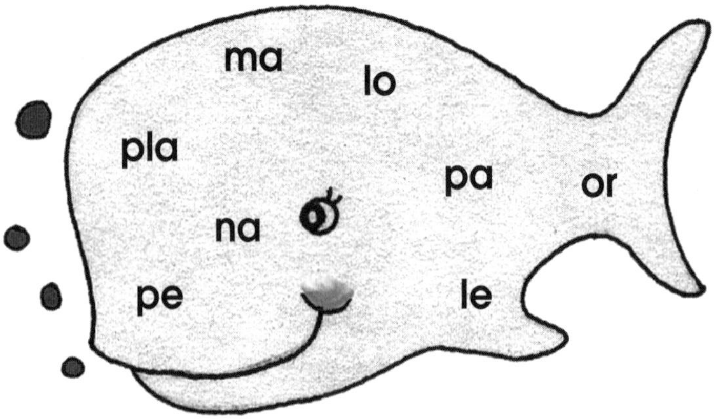